WONDERPARK - LIBERTAD

© 2016, Éditions Nathan, SEJER,
25, avenue Pierre-de-Coubertin, 75013 Paris, France
Loi n° 49-956 du 16 juillet 1949 sur les publications destinées
à la jeunesse, modifiée par la loi n° 2011-525 du 17 mai 2011

ISBN : 978-2-09-255986-4

Dépôt légal : mai 2016

1

LIBERTAD

FABRICE COLIN

Illustré par ANTOINE BRIVET

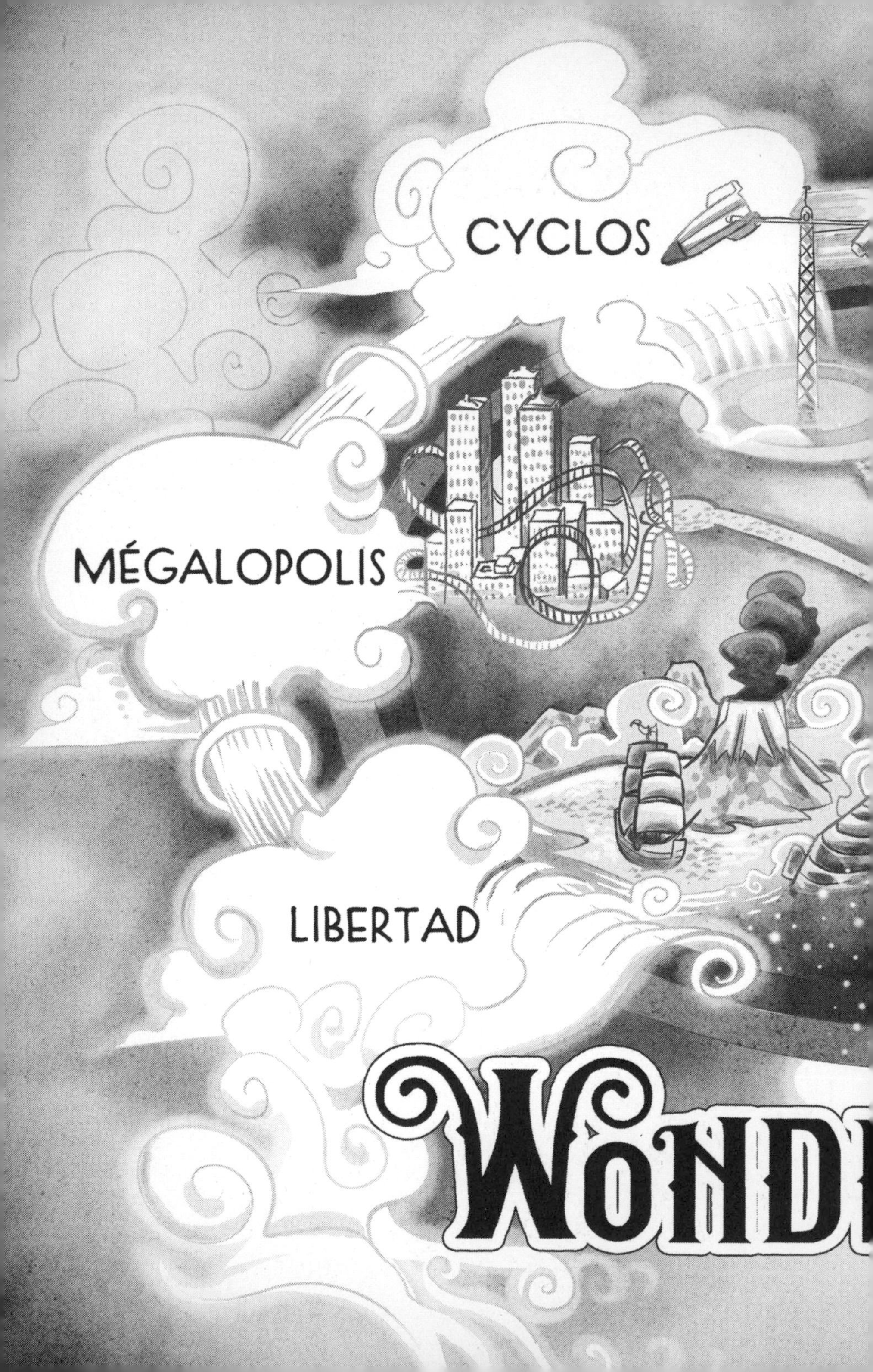
CYCLOS
MÉGALOPOLIS
LIBERTAD
WONDE

ASKARAN

DISCORDIA

DARKMOOR

rPARK

CHAPITRE 1

Non loin de la petite ville de Gyfford, un mystérieux parc d'attractions semblait attendre son heure. Abandonné, il était niché au cœur d'une immense forêt de sapins et de hêtres qui, lorsque le vent s'en mêlait, ondulait, telle une mer.

« WonderPark ! » clamait la vieille enseigne descellée qui surmontait l'entrée principale. Mais, si les plus anciens se rappelaient encore avec regret le jour où l'endroit avait définitivement fermé ses portes, la plupart des habitants avaient cessé depuis longtemps d'y penser.

Pourquoi un tel destin ? Interrogé à ce sujet, M. Lidell, le père de Jenn et de Mervin, commençait par évoquer le chantier de construction, les grues et les pelleteuses, l'effervescence régnant à l'époque dans la région. Tout le monde pensait alors que l'ouverture de WonderPark drainerait des dizaines de milliers de touristes.

Et puis un beau jour, expliquait-il, tout s'était arrêté. Quelques semaines avant l'inauguration, pour une raison mystérieuse.

Les enfants, bien sûr, en savaient encore moins que lui, mais cela ne faisait que renforcer l'attrait du parc à leurs yeux. L'ancienne époque, ils ne l'avaient jamais connue. Et leurs parents avaient beau leur interdire de s'en approcher, rien n'y faisait ! Même pas les histoires louches qu'ils leur racontaient. Il fallait qu'ils aillent voir.

Nombreux, parmi les élèves de l'école

élémentaire Saint-Norton, étaient ceux qui, prétendant s'être perdus ou inventant quelque goûter chez de lointains camarades, étaient allés s'aventurer le long du fameux mur. Et pour quel résultat ? L'enceinte étant haute de cinq mètres, personne n'était jamais parvenu à la franchir.

Oh, bien sûr, on trouvait toujours deux ou trois vantards pour se targuer d'avoir trouvé « un moyen » : celui-ci affirmait avoir déniché un passage secret, celui-là assurait avoir creusé un tunnel. Aucune de ces histoires, cependant, ne tenait la route. Quand on demandait aux courageux explorateurs ce qu'ils avaient trouvé de l'autre côté, ils s'embrouillaient piteusement ou éludaient la question.

« C'est parce qu'ils mentent tous », déclara un soir M. Lidell à table lorsque Jenn et Mervin commirent l'imprudence d'aborder le sujet. « Personne n'est entré dans ce parc depuis sa fermeture il y a huit ans, et je vais vous dire une chose : si j'apprenais un jour que vous avez été assez bêtes pour essayer, vous seriez privés de sorties pendant une année entière. Ce n'est pas un endroit sûr. »

S'efforçant de paraître impressionnés, les enfants opinèrent du bonnet. Mme Lidell tapota la main de son mari. « Du calme, mon chéri. Je suis sûr qu'ils n'y ont jamais songé. »

Évidemment, c'était faux, et elle s'en doutait bien. Dès leur plus jeune âge, Jenn et Mervin avaient rêvé à ce parc, et ce n'était pas le genre d'obsession qui s'arrange avec l'âge. De la fenêtre de leurs chambres, à l'étage, on apercevait, surplombant les cimes, une moitié de grande roue, les courbes souples de deux grands huit (peut-être trois), et plusieurs édifices encore remarquablement préservés. Il y avait là une

muraille de palais, un gratte-ciel à l'ancienne,
les vestiges d'une base spatiale, le sommet
d'un volcan et une tour si penchée qu'on se
demandait par quel miracle elle arrivait à
tenir debout. Au sommet d'une colline, pour
finir, tout au fond du parc, un sinistre manoir
à pignons se dressait qui, les soirs de pleine
lune, semblait briller d'un éclat maléfique.
Cent fois dans leur tête, la sœur et le frère
avaient réinventé l'endroit – cent fois, ils
l'avaient peuplé de leurs fantaisies et de leurs
terreurs d'enfants.

Jenn, qui avait neuf ans, était une petite fille aventureuse et optimiste qui rêvait d'aventures et de coups d'éclat spectaculaires. Quand elle pointait ses jumelles sur les restes du parc, elle se voyait filer en berline entre des gratte-ciel, bondir par-dessus des crevasses vertigineuses, se battre contre des hordes de créatures terrifiantes…

Mervin, d'un an son aîné, était d'un naturel plus contemplatif. Accoudé au garde-fou de sa fenêtre, il se perdait souvent dans de longues méditations. Lui rêvait de découvrir d'autres mondes, des peuplades inconnues, il imaginait des océans miroitants, des vols paisibles au-dessus des montagnes.

Mervin et Jenn étaient aussi différents que peuvent l'être un frère et une sœur (leur mère répétait qu'ils étaient comme le jour et la nuit, sans dire qui était l'un et qui était l'autre – ce n'était pas très difficile à deviner), mais ils se complétaient à merveille et s'étaient toujours bien entendus. Ils avaient une façon de veiller l'un sur l'autre qui ne ressemblait pas à celle des autres frères et sœurs.

Voici une histoire : un jour d'été, alors qu'elle n'était encore qu'un bébé et qu'elle ne se déplaçait qu'à quatre pattes, Jenn était tombée dans une piscine. Réunis autour d'un barbecue, riant et discutant gaiement, les adultes ne s'étaient rendu compte de rien. Mervin, qui savait à peine parler, avait poussé un cri perçant, et ses parents s'étaient précipités. Jenn avait été sauvée, d'extrême justesse : trente secondes de plus, et elle mourait noyée. Depuis ce jour, Mervin était devenu un garçon perpétuellement inquiet : comme s'il avait découvert par erreur une vérité fondamentale sur la vie, une vérité réservée aux adultes.

Quant à sa sœur, il s'en était toujours senti terriblement responsable – bien plus encore, par exemple, qu'il ne se sentait responsable de Zoey, la petite dernière qui venait de fêter ses cinq ans.

Peut-être Jenn, de son côté, s'était-elle muée en une petite fille pétillante et farceuse pour rassurer son grand frère, pour alléger le poids qu'il portait sur ses épaules. Quoi qu'il en soit, ces deux-là, nés à dix-huit mois d'intervalle, avaient toujours été les meilleurs amis du monde, et les autres les regardaient avec un mélange d'incrédulité et d'envie.

Depuis quelque temps cependant, Jenn

se montrait moins joyeuse. Le printemps était là. L'année prochaine, Mervin partirait au collège, et il lui faudrait apprendre à se débrouiller sans lui. «Une excellente chose, répétait M. Lidell. Tu vas pouvoir te faire tes propres amis.» Jenn haussait les épaules. Des copains, des copines, elle en avait déjà. Mais une véritable amie, quelqu'un à qui elle aurait pu confier ses pensées, ses secrets, ses malheurs? Son père s'agaçait. «Allons, tu ne vas pas me dire que personne ne trouve grâce à tes yeux?!»

Dans ces moments, Jenn baissait le nez vers son assiette. Il y avait bien cette fille de sa classe, celle qui était arrivée en cours d'année, mais il aurait déjà fallu qu'elle ose aller lui parler.

Orage était son nom. Fine, nerveuse, toujours vêtue de couleurs sombres… Avec son visage de porcelaine et ses longs cheveux noirs, elle ressemblait à une poupée de conte de fées. La rumeur faisait d'elle la fille du directeur de WonderPark, on disait même qu'elle s'était fait renvoyer de sa précédente école. Était-ce vrai ? Personne en tout cas n'avait jamais vu son père venir la chercher. Et on ne savait même pas si elle avait eu un jour une mère.

Une fois, dix fois, Jenn avait voulu la questionner à ce sujet. « Où sont tes parents, étrange-fille-aux-cheveux-noirs ? » « Et pourquoi restes-tu seule dans ton coin ? » En tout et pour tout, elles n'avaient dû échanger que trois mots. Des banalités.

Orage ne vivait pas dans le centre-ville, ni dans le quartier résidentiel, comme les Lidell. Où, alors ? Un petit groupe d'élèves l'avait suivie un jour jusqu'à l'entrée de WonderPark. Ils avaient cru s'être montrés discrets, mais, au moment de passer les portes,

elle s'était retournée et les avait repérés, cachés derrière des buissons. Elle les avait fusillés du regard, et ils s'étaient dispersés comme des lapins, mais le fait, désormais, était entendu : la jeune fille habitait ici. Elle possédait les clés du parc.

Oui, Jenn brûlait d'envie de lui parler, mais il aurait fallu, pour qu'elle ose le faire, que quelque chose d'extraordinaire se passe.

Et ce fut justement au moment où elle avait cessé d'espérer que quelque chose d'extraordinaire se passa.

CHAPITRE

2

C'était un jour d'école comme les autres – en pire. Réveillée par la pluie qui tambourinait sur la gouttière, Jenn s'était levée de fort mauvaise humeur et s'était traînée à l'école en essayant d'oublier son mal de tête. La matinée s'était écoulée avec une lenteur exécrable. Un cours de maths assommant avait succédé à un cours d'histoire sans intérêt, et Jenn avait passé l'essentiel de son temps à rêvasser en regardant les collines par la fenêtre.

À midi, elle retrouva Mervin à la cantine. Depuis le début de la journée, un pressentiment désagréable la tenaillait.

– Espèce d'abruti !

Pomme à la main, elle se retourna. Son frère venait de reculer d'un pas, et Yogan le fusillait du regard. Yogan : la brute de l'école, un gros type aux cheveux bruns plaqués en arrière et aux petits yeux porcins, dont il venait apparemment de faire tomber le plateau.

– Je… Je suis désolé.

– C'est ça.

Yogan se baissa pour ramasser son yaourt à boire, seul élément intact parmi les débris qui maculaient le carrelage. Mervin se frottait la nuque. On aurait dit que toute l'école avait les yeux fixés sur eux.

– Je peux…

– Rien du tout. On va se battre, voilà ce qu'on va faire. Je te retrouve à 13 heures dans la cour, crétin. Et n'essaie pas de te planquer : je te retrouverai.

Sans attendre la réponse de Mervin, il s'éloigna en proférant un chapelet d'insultes et alla reprendre sa place dans la queue.

Mervin demeurait sonné. Jenn le rejoignit.

– Ça va ?

Son frère secoua la tête.

– Je ne comprends pas. Il était derrière moi, je me suis retourné et…

Jenn croisa les bras en suivant Yogan du regard.

– T'inquiète.

– Facile à dire. Ce type est fou. Il va me démolir.

– Mais non. Dans cinq minutes, il aura avalé son steak, et il n'y pensera plus.

Mais Yogan y pensait encore. À 13 heures pile, il traversa la cour à grandes enjambées et fondit sur Mervin, qui bavardait avec des amis.

– Hé ! Toi !

– Écoute, soupira Mervin en exhibant ses paumes, je n'ai aucune envie de me battre avec toi, je crois que…

– Défends-toi, minus.

Mervin recula d'un pas, horrifié. Yogan venait de le pousser en arrière et retroussait ses manches.

Déjà, un cercle de curieux se formait. Mervin n'avait aucune chance, et il le savait. Il cherchait désespérément de l'aide.

Sa sœur, qui accourait, s'arrêta net. Orage s'avançait avec détermination vers les deux garçons – certaine, sans doute, que personne ne la regardait. Soudain, elle passa un bracelet doré à son poignet. Et disparut. Subitement, comme ça.

Yogan, qui s'apprêtait à fondre sur Mervin, trébucha sans raison apparente et tomba au sol, mains en avant.

Éclat de rire général. Stupéfaite, Jenn se rapprocha. Où était passée Orage ?

Yogan se redressa, un rictus aux lèvres. Sa chute l'avait rendu plus enragé encore, et il semblait tenir Mervin pour personnellement responsable. Il se lança de nouveau… et retomba, exactement comme la première fois. On aurait dit que quelqu'un l'avait poussé. Quelqu'un d'invisible.

– Écoute, dit Mervin, abasourdi, peut-être qu'on devrait…

– La ferme !

Une fois, deux fois, le gros garçon repartit à l'assaut. Avec, à chaque tentative, le même résultat : une chute. De plus en plus brutale. De plus en plus grotesque.

La troisième fois, il se releva avec peine, en se massant les genoux. Alerté, un surveillant courait vers eux.

– On se retrouvera, grinça Yogan.

Il avait craché ces mots. Le surveillant ayant joué du sifflet, le groupe de spectateurs se dispersa, telle une volée de moineaux. Tenant son frère par le bras, Jenn l'entraîna à l'écart.

– Je ne comprends pas… répétait ce dernier.

Sa sœur fit volte-face. Elle observa Orage,

à l'autre bout de la cour, qui venait d'ôter son bracelet pour l'enfouir dans la poche de sa veste. Pendant la récréation suivante, elle alla la voir.

– Pourquoi as-tu fait ça?

– Fait quoi?

– Avec ton bracelet. Tu as disparu. Ne me dis pas non, je te regardais.

La jeune fille répondit en regardant ailleurs :

– Ce n'est pas ton frère qui a fait tomber le plateau de Yogan. C'est moi. Et Mervin le sait. (Elle parut réfléchir.) Il aurait pu m'accuser. Il ne l'a pas fait.

– Il est comme ça, lâcha Jenn après un silence, comme si cette explication suffisait.

Et elle posa une main sur son épaule.

– Merci de l'avoir aidé, en tout cas.

Sur ces mots, elle fit mine de s'éloigner. Orage réfléchit un moment, puis se décida à la rattraper. Elle avait pensé que Jenn lui demanderait comment elle était devenue invisible. Mais Jenn était plus maligne que cela. Et elle savait faire preuve de patience.

Orage ressemblait à un petit animal sauvage : elle n'accordait pas sa confiance aisément. Il fallut plusieurs semaines à Jenn et à Mervin pour l'apprivoiser.

En un sens, ils avaient toujours attendu de rencontrer quelqu'un comme elle. Quelqu'un d'un peu magique, de complètement diffé-rent. Et si Orage, de son côté, était jusqu'à présent toujours restée seule, c'était moins par choix que par prudence. C'était une fille entière et exclusive, qui avait toujours eu peur d'être déçue. Pour la première fois depuis bien longtemps, elle se sentait prête à entrouvrir la porte de son monde.

Quelque temps après l'incident du réfectoire, les Lidell commencèrent à inviter Orage chez eux le week-end. La jeune fille paraissait libre comme l'air. Elle vivait avec son oncle, leur avait-elle dit, un monsieur déjà âgé mais très accommodant, qui la laissait mener sa vie à sa guise. L'explication convenait aux enfants. Les parents, eux, se montraient plus curieux, pour ne pas dire inquiets. Ils la bombardaient de questions. « Et ton oncle, il est à la retraite ? Penses-tu qu'il accepterait une invitation à dîner ? » Orage répondait de manière évasive. « Mon oncle ne marche quasiment plus. Et il ne sort pour ainsi dire plus de chez lui. Mais c'est gentil, je transmettrai l'invitation ! »

Les vacances d'été approchaient. Quand le temps était clément, et il l'était de plus en plus, les trois enfants partaient se promener en forêt. Zoey, la petite sœur, suppliait qu'ils l'emmènent. « Pas question », répondait à chaque fois Mervin, en claquant un gentil baiser sur sa joue avant de lui tirer les couettes.

Dans une clairière se dressait un arbre foudroyé, comme coupé dans son élan, que les anciens appelaient « le Grand Veuf ». Ce fut Orage qui le leur montra un jour. Ils prirent l'habitude de se retrouver là-bas aussi souvent que possible. Assis sur la vieille souche, pieds nus, cheveux au vent, ils discutaient de tout et de rien.

CHAPITRE

3

– Demain.

Les mains dans les poches de sa salopette, Orage regardait le soleil s'enflammer derrière la colline.

– Demain ? répéta Mervin.

– À 14 heures. Vos parents vont faire des courses, et mon oncle regardera son match. On ne trouvera pas un meilleur moment de sitôt.

Un vol d'oies sauvages s'étirait vers le couchant, et une fumée âcre flottait au-dessus du jardin – les voisins faisaient brûler des branches mortes.

Jenn se tourna vers sa petite sœur, qui courait sur l'herbe en poursuivant un papillon. Orage venait de leur proposer une visite privée de WonderPark.

– Le problème, c'est qu'on est censés garder Zoey.

– Amenez-la, pour une fois.

– On est aussi censés ne pas bouger d'ici, déclara Mervin, qui n'aimait pas désobéir à ses parents.

Du plat de la main, Orage fit disparaître un pli sur son tee-shirt noir.

– À vous de voir. Dommage, c'était vraiment une chouette occasion.

Mervin se tourna vers sa sœur. Il connaissait cette moue par cœur. Parents ou pas, elle avait pris sa décision. Et lui ? D'un côté, les conséquences possibles. De l'autre, la perspective irrésistible de découvrir enfin le parc. Il était terriblement excité.

– Il faut qu'on soit rentrés pour 18 heures, lâcha-t-il.

Orage lissa ses longs cheveux noirs.

– Aucun problème. Une demi-heure pour y aller, une autre pour revenir : on aura le temps de voir plein de choses.

Sur le bord de la route nationale, et tandis qu'ils s'approchaient du parc, Mervin sentit une joie profonde l'envahir. Les portes de WonderPark allaient s'ouvrir pour eux. Jamais il n'avait imaginé que ce moment arriverait un jour…

Dans sa main, celle de la petite Zoey. La fillette exultait. Elle avait promis de ne rien raconter aux parents – juré-craché, même. Tiendrait-elle parole ? En cet instant, plus rien ne paraissait important à Mervin. Ils arrivaient.

Orage tira un trousseau de clés de sa poche et ouvrit une porte discrète. Ils se tenaient maintenant dans un espace relativement étroit, six ou sept mètres, à vue de nez, séparant la première enceinte du parc d'une seconde, tout aussi haute mais en plexiglas. Des bâtiments en préfabriqué, à la peinture écaillée, se dressaient à intervalles réguliers. Destinés au personnel technique, précisa Orage, mais désormais, bien sûr, plus personne ne les occupait. Mervin leva les yeux. Enchâssées dans l'enceinte, d'énormes turbines les surplombaient, espacées de trente mètres environ. Elles ressemblaient à des moteurs d'avion ou à des haut-parleurs.

– À quoi ça sert, ça ? demanda Mervin.

Orage ne répondit pas. Pensive, elle observait un petit mobil-home installé non loin, contre la clôture. Jenn plissa les yeux.

– Tu habites ici ?

La jeune fille acquiesça et, de son sac, sortit une bouteille d'eau. Zoey, qui commençait à s'ennuyer, tortillonnait ses couettes et shootait dans les mauvaises herbes. Orage dénicha une casquette WonderPark et la posa sur sa tête.

– Tiens : dorénavant, c'est toi notre guide.

Ravie, la petite battit des mains. Orage ressortit son trousseau de clés et en choisit une nouvelle, qui ouvrait une porte dans la façade de plexiglas.

– Entrée de service, précisa-t-elle en les laissant passer devant elle. À l'origine, ce mur transparent était opacifié dans la journée. Mais le système ne marche plus. Quoi qu'il en soit, bienvenue à Libertad : le monde des pirates !

Très ému, Mervin serrait fort la main de sa jeune sœur dans la sienne. WonderPark ! Ils y étaient ! Bien sûr, le parc avait vieilli, certaines façades étaient abîmées et, partout,

la nature reprenait ses droits. Mais l'impression de réalité était saisissante. Ici, une vieille taverne à l'ancienne. Plus loin, les méandres d'un grand huit s'enfonçaient dans la jungle. À quelques pas de là, une barque solitaire patientait sur un canal d'eau croupie.

– Aucune de ces attractions n'a jamais fonctionné? demanda Jenn.

– Elles n'en ont pas eu le temps.

– Pourquoi?

Une nouvelle fois, Orage garda le silence. Zoey, qui portait fièrement sa casquette, tournait la tête en tous sens, éblouie. Un pont de lianes reliant deux arbres massifs oscillait au-dessus de leurs têtes. Mervin s'approcha de la taverne et jeta un coup d'œil à travers un carreau dépoli. L'espace d'un instant, il imagina à quoi aurait pu ressembler cet endroit s'il avait vraiment été fréquenté par des pirates.

Il se retourna. Un calme surnaturel régnait sur WonderPark. Un tel endroit était fait pour être habité, pour résonner de cris d'enfants. Au lieu de cela : le vent dans les arbres, le grincement d'un vieux mât et la grande roue pétrifiée, là-bas, qu'il voyait de sa chambre. Comme tout paraissait différent, vu de l'intérieur ! Plus sauvage.

– Tu viens ?

Les trois filles l'attendaient devant la porte de la taverne.

– On ne pourra pas visiter tous les mondes aujourd'hui, leur annonça Orage. C'est mieux si on en sélectionne un mais qu'on l'explore à fond.

– Combien y en a-t-il ? demanda Jenn en la suivant à l'intérieur de la taverne.

– Six, répondit son frère, qui semblait savoir de quoi il parlait.

– Et les attractions ne remarcheront jamais ?

– Elles pourraient. Mais il faudrait remettre tout le système en route, vérifier la sécurité… Tenez, regardez.

Sur un pilier de la taverne, tout près de l'entrée, un plan du parc délavé avait été placardé. Les enfants Lidell s'approchèrent pour l'examiner.

Six mondes, en effet. Libertad, l'île des pirates ; Mégalopolis, la capitale des super-héros ; Cyclos, la sombre station orbitale ; Askaran l'Ancienne, et ses guerres sans fin ; Discordia, la ville des fous ; et Darkmoor, enfin, un manoir hanté aux dimensions d'une montagne. Un signe « Vous êtes ici » était pointé sur la cité des flibustiers. Un peu plus loin, un fier galion apparaissait, toutes voiles déployées, ainsi qu'un volcan minia-ture dont on apercevait, derrière les toits, le sommet en réduction.

– Quand même ! commenta Jenn, son-geuse. C'est gigantesque !

Orage approuva.

– Ces mondes ne sont pas seulement des constructions pour touristes, reprit-elle, pensive. WonderPark était censé devenir un parc d'attractions d'un genre unique.

– Qu'est-ce que tu veux dire ?

Mervin s'avança vers le comptoir poussiéreux. La grande salle était plongée dans la pénombre, et une odeur de bois usé lui montait aux narines. Il ferma les yeux. Des images de forbans aux trognes brûlées par le soleil lui traversaient l'esprit. Sabres d'or, perroquets rouge sang.

– Ce que je veux dire, répondit Orage en arrivant à sa hauteur, c'est que mon père n'était pas seulement un entrepreneur. C'était aussi un inventeur. Il avait ouvert des portes vers d'autres mondes. Des mondes aussi réels que le nôtre.

– Où est Zoey ?

Jenn s'était retournée. Leur petite sœur ne se trouvait plus dans la taverne. Mervin fut le premier à en ressortir. Une main en visière, il balaya les lieux du regard. Une brise légère jouait dans les palmiers.

– Zoey ?

La petite avait disparu. C'est alors qu'un cri retentit. Mervin tressaillit. Jenn et Orage, qui étaient sorties à sa suite, se regardèrent sans comprendre.

– Un problème ? demanda Jenn.

– Là-bas !

Mervin montrait le chemin qui longeait le canal. Sans prendre le temps de s'expliquer, il se mit à courir. Il avait aperçu quelque chose, il en était certain. Arrivé sur le sentier, il s'arrêta. Non ! Un homme, de dos, tirait sa petite sœur par le bras. Un homme voûté, vêtu d'une grande cape noire. Mervin s'élança.

– Hé !

L'homme se retourna, et le garçon eut un mouvement de recul. Ce visage de singe, ce sourire cruel, ces petites dents sombres et pointues – il n'y avait rien d'humain, là-dedans.

Et cette créature soulevait maintenant Zoey. Son sourire s'élargit.

– Lâchez-la !

La petite se mit à hurler, et la créature la serra plus fort contre elle. Elle ne bougeait plus et se contentait de murmurer dans une langue incompréhensible.

Soudain, alors que Mervin se décidait de nouveau à avancer, une petite explosion sèche se produisit. La fumée se dissipa. La créature avait disparu ; et Zoey avec elle.

Mervin était abasourdi. Jenn, qui arrivait à la rescousse, le secoua dans tous les sens, mais il ne réagissait plus.

– Qu'est-ce qui s'est passé ? Où est-elle ?

Mervin ramassa la casquette WonderPark, tombée sur le sol.

– Je ne sais pas.

– Mon oncle ! Mon oncle !

Orage tambourinait à la porte du vieux mobil-home. Un homme finit par ouvrir, appuyé sur une canne. Les cheveux blancs, hirsutes, le visage ridé, une chemise à fleurs à moitié ouverte sur la poitrine. Il portait un short kaki et des sandales. Derrière lui beuglait la voix d'un commentateur sportif. Il avala une gorgée de sa canette. « Ce n'était pas une bière, nota Mervin. C'était du thé vert. »

– Hum, fit l'oncle. Tes nouveaux amis, c'est ça ?

Orage le bouscula sans ménagement et fit signe aux Lidell de la suivre. L'oncle les laissa entrer, un peu étonné, et regarda sa nièce éteindre son vieux poste de télévision.

– Hé !

– Il est arrivé quelque chose, l'interrompit la jeune fille en se laissant tomber dans un fauteuil en cuir sans âge. Quelque chose de très grave.

Jenn et Mervin s'avancèrent dans le salon, intimidés. Leur première réaction, quand ils avaient compris que leur sœur avait été enlevée, avait été de vouloir avertir la police. Mais Orage leur avait certifié que cela ne servirait à rien et, même, pire, que cela ne ferait qu'aggraver le problème. Comment était-ce possible ? L'oncle renifla, ouvrit une fenêtre et partit fureter dans le coin-cuisine.

– Mon oncle ?

Orage s'était redressée. Le vieil homme revenait lentement vers eux en portant un plateau en plastique, sur lequel étaient disposés trois verres d'eau.

– Du calme, dit-il en l'installant sur la table basse avec une grimace. Racontez-moi.

Les trois enfants commencèrent à parler tous en même temps. Orage fit signe aux deux autres qu'il valait mieux la laisser faire.

Zoey avait été enlevée, voilà ce qui se passait. La petite sœur de ses amis, quasiment sous leurs yeux. Par une créature à la face de singe, vêtue d'un manteau noir à capuche.

L'oncle, qui s'était assis sur un tabouret et avait repris sa canne, fronça les sourcils. À sa nièce, il posa plusieurs questions compliquées auxquelles les deux autres ne comprirent pas grand-chose – des questions sur « le niveau de zéphyr », notamment –, puis il se mit à faire les cent pas. Mervin sentait son pouls s'accélérer. Il s'efforçait de se concentrer sur des détails. Le poste de télévision bombé. Une statuette africaine à laquelle il manquait un bras. Un joli lézard vert pomme somnolant dans son vivarium.

– Elle portait la casquette du parc, reprit Orage. Je me demande si…

L'oncle leva une main. Cela signifiait : « Très bien. » Cela signifiait : « Calme-toi, maintenant : c'est à moi de parler. »

Il joignit les mains devant son visage et, après un long soupir, se lança enfin.

– Je savais que ce jour arriverait, lâcha-t-il. Mais je ne pensais pas qu'il arriverait si tôt.

Il se posta à la fenêtre, les mains croisées dans son dos.

– Le temps presse. Vous devez partir.

– Partir ? (Jenn ouvrait de grands yeux.) Mais où ?

– Dans WonderPark, répondit l'oncle.

Dix minutes plus tard, ils franchissaient tous les quatre la porte principale du parc. L'oncle avançait lentement, appuyé sur sa canne. Orage serrait contre elle un petit carnet à couverture mauve : le journal de son père, qu'elle connaissait presque par cœur.

L'allée centrale était bordée de boutiques vides et de restaurants désaffectés. Au-dessus des collines, un soleil radieux brillait. Un héron sur un banc, des armées de passereaux dans les arbres : les oiseaux avaient pris possession des lieux. Leur présence rendait la solitude du parc un peu moins angoissante.

Devant une large table d'orientation où se déployait un plan semblable – en plus grand –

à celui que les enfants avaient découvert dans la taverne de Libertad, l'oncle fit une halte.

– Voici les six entrées, dit-il en désignant successivement un point précis de chaque section. Cinq d'entre elles sont fermées, désormais, mais, autrefois, elles permettaient d'entrer dans les autres mondes. Notre ravisseur a emprunté celle de Libertad – la seule qui fonctionne encore.

Jenn clignait des yeux, perdue, dépassée par la masse d'informations qui s'abattait sur elle. L'exposé de l'oncle lui donnait le vertige. Sans la présence d'Orage, elle l'aurait pris pour un fou. Son frère échangea un regard avec elle ; il ressentait la même chose.

– Venez, déclara Orage en se dirigeant vers Libertad. Il n'y a plus une minute à perdre.

Elle avait laissé son sac à son oncle. À son poignet, le bracelet doré était bien en place. Mervin, lui, s'appuyait sur un bâton de bois

sombre. Et Jenn, comme on le lui avait demandé, avait glissé une fine plume d'argent dans ses cheveux.

Les trois artefacts ! Les trois objets magiques que son père avait laissés à Orage en prévision du jour où, peut-être, elle devrait partir à sa recherche s'il ne revenait pas de sa quête – et le fait est qu'il n'était jamais revenu.

Arius était un humain, il venait de la Terre, mais c'était lui qui avait créé WonderPark. Un lieu hors du commun, bien sûr, équipé de magnifiques attractions. Mais un endroit unique, surtout. Car ici, leur avait expliqué l'oncle, la fantaisie était réelle. Chaque section du parc communiquait avec un monde à part entière. Un monde qui existait pour de vrai.

Il leur avait montré les turbines.

– Vous voyez ces machines ? Autrefois, elles diffusaient du zéphyr, un gaz aux propriétés incroyables. C'est mon frère qui a découvert cet élément, à la suite d'expériences en laboratoire. Non seulement le zéphyr avait le pouvoir de révéler d'autres mondes, mais il rendait aussi leurs habitants plus forts et plus vaillants – un afflux d'oxygène, en somme. Ainsi Arius a-t-il imaginé WonderPark : en échange d'une dose massive de zéphyr, certains habitants de chacun de ces autres mondes auraient dû venir travailler dans les domaines.

– Les domaines ? avait répété Jenn.

– Des sortes de zones-tampons – ni tout à fait leur monde, ni tout à fait le nôtre –, reliant le parc d'attractions aux mondes qui se trouvaient de l'autre côté. La présence de ces habitants aurait rendu chaque section du parc incroyablement réaliste. Imaginez…

De vrais pirates ! Des super-héros en chair et en os !

Le problème, avait repris l'oncle, c'était que les mondes en question n'étaient pas habités que par des personnes bienveillantes. Un jour – WonderPark n'était pas encore ouvert et Orage, qui n'était alors âgée que d'un an, ne pouvait s'en souvenir –, le seigneur Langley, le maître du sinistre manoir de Darkmoor, un personnage cruel et dévoré d'ambition, avait enlevé la femme d'Arius pour l'attirer dans ses filets.

Arius n'avait eu d'autre choix que de partir à sa recherche, « de l'autre côté », comme répétait l'oncle. Sans lui, impossible d'ouvrir le parc, d'en assurer le bon fonctionnement. Voilà la raison pour laquelle le public n'avait jamais pu assister à l'inauguration. La raison pour laquelle Orage vivait seule avec son oncle dans un mobil-home. La raison, enfin, pour laquelle ce dernier lui avait confié les trois artefacts laissés pour elle par son père si jamais il ne revenait pas.

Si ses parents n'étaient pas de retour avant le jour de ses quinze ans, il était prévu qu'Orage entre alors à son tour dans WonderPark et parte à leur recherche. Pourquoi quinze ans ? Parce qu'avant cet âge, elle ne serait pas capable de se servir au mieux des trois arte-facts, fabriqués par des habitants d'Askaran, et indispensables à la survie de l'autre côté. Seulement, avait ajouté l'oncle, il n'était doré-navant plus possible d'attendre. Le seigneur Langley avait pris les devants. Le connaissant, il n'était pas impossible qu'il ait envoyé l'un de ses serviteurs pour enlever Orage. Peut-être souhaitait-il s'en servir comme monnaie d'échange afin d'atteindre son père ? Quoi qu'il en soit, il était passé à l'action. Une créa-ture était venue, à l'intelligence rudimentaire.

Sans doute, trompée par la casquette, avait-elle pris Zoey pour Orage.

Perché sur la pancarte Libertad, un perroquet en bois semblait toiser les nouveaux venus.

L'oncle se passa une main sur le front.

– Quelle folie ! soupira-t-il.

– Mais nous n'avons pas le choix, reprit Orage. Avant tout, nous devons retrouver Zoey. Quant à mon père… Si on a voulu m'enlever, c'est bien qu'il est encore en vie.

L'oncle acquiesça.

– Je ne sais vraiment pas quoi te dire, soupira-t-il en serrant sa nièce contre lui.

Tu n'es pas prête à partir, et tes amis encore moins. Mais vous êtes pleins de courage et de malice, et je suis quant à moi bien trop vieux et mal en point pour entreprendre un tel voyage. Je vous ralentirais. Je ferais tout rater.

Orage glissa le petit carnet à couverture mauve dans sa poche. Combien de fois l'avait-elle parcouru, dans la pénombre du mobil-home? C'était mieux qu'un roman. C'était plus vrai et plus terrible. Arius avait été forcé de partir à la recherche de son épouse, enlevée par le seigneur de Darkmoor. Ce carnet, il l'avait écrit pour sa fille. Elle seule pouvait le retrouver, à présent.

Elle seule pouvait le sauver, et ramener Zoey à sa famille.

– Alors, c'est ici?

L'oncle hocha la tête et s'installa tant bien que mal dans la cabine de contrôle de l'attraction « En mer ! », qui fonctionnait encore grâce à un générateur auxiliaire mobile. Dans un long grincement, le mécanisme qui faisait avancer les barques se mit lentement en branle. Les turbines à zéphyr, tournées vers Libertad,

avaient été activées depuis le poste principal. Seule la libération de cette énergie invisible dans l'atmosphère pouvait, en théorie, permettre le passage de l'autre côté. De l'extérieur, évidemment, on ne remarquait rien de particulier. Mais Orage avait mis ses amis en garde. Bientôt, ils quitteraient les limites rassurantes du parc d'attractions. Bientôt, ils traverseraient le domaine. Et ils se retrouveraient ailleurs. Dans le vrai monde des pirates.

– Il ne faudra vous étonner de rien, avait martelé Orage en faisant tourner devant ses amis les pages du carnet à couverture mauve. Libertad est un monde peuplé de forbans sans foi ni loi… Et ses habitants ne sont pas seulement des humains.

Arc-bouté sur sa canne, l'oncle était ressorti de la cabine de contrôle. La jeune fille l'entoura de ses bras et ferma les yeux. Par tous les pores de sa peau, elle essayait de s'imprégner de son odeur. De son souvenir ? Enfin, elle le relâcha et rejoignit Jenn et Mervin, qui regardaient la barque avancer le long du canal. L'oncle les aida à monter à bord en leur répétant qu'il était désolé et que, sans doute, c'était une erreur de les laisser partir ainsi. Mais il n'avait pas le choix.

Jenn vérifia la plume glissée dans ses cheveux.

— Ne vous tourmentez pas. Nous allons très bien nous en sortir.

— Au fait, ajouta Mervin, ne dites rien à nos parents ou à qui que ce soit d'autre. Ils vous prendraient pour un fou.

Un sourire douloureux éclaira le visage du vieil homme.

— La police viendra me poser des questions, c'est certain. Mais Arius avait tissé des liens étroits avec le commissaire, et je suis sûr

qu'il ne m'embêtera pas. S'il le fait, eh bien!
j'improviserai.

– En route! lança sa nièce, qui avait pris
place à l'avant de la barque. Plus vite nous
partirons, plus nous aurons de chances de
retrouver Zoey… et plus vite nous serons
revenus.

Les enfants Lidell se serrèrent l'un contre
l'autre. Combien de temps seraient-ils absents?
Quelques heures? Quelques jours? Ils
n'avaient aucune idée de ce qui les attendait.

L'embarcation obliqua au moment où le
canal formait un coude. L'oncle, qui leur
adressait de grands adieux de la main, disparut de leur champ de vision.

Un silence impressionnant planait sur
l'attraction. On n'entendait que le clapotis
de l'eau et le grincement du mécanisme.
Arbres tropicaux, fougères immenses… ils
s'enfonçaient dans un décor de forêt vierge.

« Nous ne saurons probablement pas quand, au juste, nous aurons franchi la frontière, avait expliqué Orage à Jenn et à Mervin, quand nous serons sortis du parc pour entrer dans le vrai monde. »

Bientôt, une brume épaisse les enveloppa, si impénétrable qu'ils ne distinguaient même plus les rives du canal et les arbres. Les oiseaux, dont le chant avait accompagné leur départ, s'étaient tus peu à peu. Jenn sentit la main de son frère presser la sienne. Leur barque était ballottée, à présent, elle oscillait de droite à gauche comme si le courant était devenu plus fort. Beaucoup plus fort.

À l'avant de l'embarcation, Orage plissait les yeux, essayant de percer le secret de cet étrange brouillard. C'était peut-être un indice ? Le signe que les enfants traversaient maintenant le domaine, la zone-tampon séparant le parc d'attractions du « vrai » Libertad ?

Le silence était total. Ils avaient l'impression qu'on leur avait enfoncé des bouchons dans les oreilles. Se trouvaient-ils déjà de l'autre côté ? Leur barque, en tout cas, faisait des bonds, comme secouée par des vagues. Enfin, les lambeaux de brume se dissipèrent. Et, lorsque l'immense nuage qui semblait les avoir engloutis se désagrégea d'un coup, ils ouvrirent tous trois de grands yeux.

– Je n'y crois pas ! murmura Jenn, éberluée.

Son frère se leva, agrippé à son bâton. À l'exception des brumes qu'ils laissaient dans leur sillage, le ciel était d'un bleu sans nuages. Une mouette les accueillit d'un piaillement moqueur.

Ils se trouvaient au beau milieu de l'océan.

Depuis combien de temps erraient-ils ainsi, au large de cette île verdoyante, avec son sommet couronné de nuages ? Ils n'auraient su le dire. Passé le premier moment de choc, ils s'étaient vite ressaisis, et Mervin avait empoigné les rames. Il fallait bien constater, cependant, qu'il n'était pas très doué pour s'en servir. Le courant était puissant, le vent soufflait avec ardeur et, chaque fois que ses muscles se bandaient, le malheureux avait l'impression que l'embarcation reculait.

Jenn et Orage avaient proposé de le relayer, mais il avait refusé. À présent, elles restaient muettes, gardant pour elles leurs pensées. Ils n'arrivaient pas à rejoindre l'île et c'était le premier problème. Mais un deuxième s'annonçait, bien plus inquiétant. Ce monde était sans limites. Il n'avait plus rien d'un parc d'attractions. À l'idée que sa petite sœur se trouvait quelque part au cœur de cette immensité, Jenn sentit les larmes lui monter aux yeux.

– On ne la retrouvera jamais, murmura-
t-elle enfin.

Mervin, qui l'avait entendue, lâcha ses rames
et se passa une main dans les cheveux. Ses
muscles le cuisaient, le soleil était aveuglant
– le découragement gagnait les troupes.

– Je me demande, déclara le jeune garçon,
si cet endroit est seulement habité.

– Mervin ?

Orage avait posé une main sur son épaule.

– C'est censé être un monde de pirates,
poursuivit-il. Mais tout semble si calme, si
désert…

– Mervin !

Suivant le regard de son amie, le garçon
se retourna lentement. Et sa mâchoire se
décrocha. Là : à quelques dizaines de mètres
à peine, canons sortis, un énorme vaisseau
pirate faisait voile dans leur direction.

Électrisée, Jenn se leva et commença à lui

adresser de grands signes avant de placer ses mains en porte-voix.

— Ohé ! Du bateau !

— Qu'est-ce que tu fais ? siffla Orage. Rassieds-toi !

— Eh bien quoi ? Un vaisseau s'approche. Je l'appelle, non ?

— Ne te fatigue pas, commenta Mervin d'une voix sombre en observant, inquiet, le pavillon noir décoré de deux sabres et d'un cœur sanglant. Ils nous ont repérés.

CHAPITRE 6

Une échelle de corde se déroula comme un serpentin le long de la coque. Les trois enfants se dévisagèrent. Devaient-ils monter à bord ?

Mervin sentit un frisson d'excitation lui parcourir l'échine. Ce n'était plus une attraction, non, ce n'était plus un jeu. Ils étaient passés dans un autre monde.

– Qu'est-ce qu'on leur dit ? souffla Jenn en vérifiant la plume glissée dans ses cheveux, dont la pointe, sans qu'elle sente rien, semblait s'être enfoncée dans son crâne.

– La vérité, répondit Orage.

La houle ballottait méchamment leur barque. À chaque vague, celle-ci manquait de se fracasser contre la coque du vaisseau pirate. Mervin attrapa l'échelle au vol et s'y accrocha de toutes ses forces. Sous son bras, il tenait toujours son bâton.

Orage fut la première à monter à bord. Jenn la suivit, la bouche sèche. Ils n'avaient aucune idée de ce qu'ils allaient trouver là-haut.

Mervin se hissa à la suite des deux filles. À mi-parcours, se retournant, il regarda leur embarcation dériver au loin. Quoi qu'il arrive ensuite, ils devraient s'entendre avec les occupants du navire.

Le garçon sauta sur le pont, et les deux filles se rapprochèrent. Un étrange trio les accueillit. Une femme, d'abord, aux longs cheveux noirs tressés, coiffée d'un imposant tricorne. Vêtue d'un chemisier blanc et de culottes bouffantes, elle rayonnait d'une beauté un peu féroce. Un sabre courbe pendait à son flanc.

À sa gauche : un petit gaillard ventripotent et buriné, torse nu et crâne chauve, qui tortillait sa barbe blanche en les toisant avec méfiance. Une paire de pistolets était glissée dans sa ceinture, et un énorme rat grisâtre, perché sur son épaule, dardait sur eux ses yeux semblables à deux petites billes noires.

Le troisième homme, habillé d'une tunique blanche, avait la peau bleue et ne portait pas d'armes. À première vue, il n'en avait pas besoin : il devait mesurer au moins deux mètres, et il se dégageait de sa silhouette une saisissante impression de calme et de puissance.

Un géant à la peau bleue ? Les récentes paroles d'Orage résonnaient dans l'esprit des enfants Lidell : « Quand l'impossible devient possible », leur avait-elle glissé tandis

qu'ils découvraient l'océan sans limites. Ça avait été le slogan de WonderPark.

Les talons de ses bottes claquant avec autorité, la femme fit trois pas dans leur direction. Plus loin sur l'entrepont, ou perchés dans le gréement, les autres membres de l'équipage attendaient la suite avec curiosité.

– Qui êtes-vous ?

La voix était neutre, posée. Orage bredouilla une explication confuse dans laquelle il était question de WonderPark, de son père et de Zoey.

Le gros bonhomme à la barbe ricana.

– On pourrait les vendre au marché comme esclaves, proposa-t-il. Ils ont l'air en parfaite santé, je suis sûr qu'on en tirerait un prix correct.

– Écoutez, dit Jenn en regardant le rat que l'homme venait de faire descendre sur le pont, et qui partit se réfugier sous un amas de cordages, nous cherchons juste une petite fille – nous ne vous voulons aucun mal.

Un éclat de rire général salua cette précision. La femme se tourna vers le géant à la peau bleue.

– Socrate ?

Les yeux de l'homme, rivés sur le bâton de Mervin, s'étaient réduits à deux fentes.

– Où as-tu trouvé ça ?

– C'est un artefact, répondit Orage après une hésitation. Il était à mon père.

– Ton père… répéta la femme.

– Il s'appelle Arius.

Le gros homme à la barbe blanche se frotta les mains.

– On s'en moque, répliqua-t-il en refermant sa grosse paluche sur le bras d'Orage. Celle-ci a l'air d'avoir la langue bien pendue. Si on la lui tranchait, pour commencer ?

Il plaisantait – Mervin le comprit en

surprenant le clin d'œil adressé à la femme aux cheveux tressés. Mais à peine avait-il prononcé ces mots que la jeune fille disparut. Abasourdi, l'homme ouvrit les doigts, se tournant de tous côtés. Un murmure de stupéfaction parcourut les rangs des pirates.

– Sorcellerie ! marmonna le gaillard.

Serrés l'un contre l'autre, les enfants Lidell reculaient.

– Ohé !

La chef des pirates et ses acolytes se retournèrent. Orage se tenait au milieu du pont, une main posée sur son bracelet. Elle respirait avec peine. L'utilisation des artefacts demandait de grands efforts, avait-elle expliqué à ses amis. La vérité, c'est qu'ils n'étaient pas assez âgés pour bénéficier de tous leurs pouvoirs. Seuls des individus ayant terminé leur croissance pouvaient les utiliser sans ressentir d'effets secondaires, indiquait le carnet de son père.

La femme pirate hocha la tête avec une moue amusée. Le dénommé Socrate se pencha vers elle, et elle murmura un mot à son oreille. Puis il s'avança vers Jenn.

— Qu'est-ce que… commença cette dernière.

En trois pas, il fut sur elle et la souleva du sol. Plaquée contre son torse, impuissante, elle battait des jambes.

Mervin s'apprêtait à frapper le pont de son bâton (Orage lui avait expliqué que c'était ainsi qu'on déployait le champ de force) lorsque la lame de la femme pirate jaillit de son fourreau, s'arrêtant à trois centimètres de sa gorge.

— À ta place, j'éviterais.

Dans les bras du géant à la peau bleue, Jenn avait cessé de se débattre. Pour activer le pouvoir de la plume, il fallait qu'elle la touche. Et, pour l'instant, c'était impossible.

La femme pirate se tourna vers Orage. Son sabre était toujours pointé sur Mervin.

– Je suis la capitaine Valeria et vous êtes sur mon navire : *Le Farouche*. Ôte ton bracelet, petite. Cela m'ennuierait de devoir faire du mal à tes amis.

Dépitée, la jeune fille ne put qu'obéir.

– Donne-le à Big Jack.

Le gros bonhomme tendait une main ouverte. Avec un soupir, Orage lâcha le bijou dans sa paume.

– Bien, reprit Valeria, en se tournant de nouveau vers Mervin. Toi, laisse gentiment tomber ton bâton par terre. Personne ne me menace sur mon bateau.

– Mais nous voulions juste… commença Mervin.

– Emmenez-les, cingla la capitaine des pirates sans écouter ses protestations.

– Génial, grommela Orage en se hissant sur la pointe des pieds pour regarder par la petite lucarne en verre dépoli qui ouvrait sur la mer.

Comme ses amis, elle avait les mains ligotées. Par chance, on ne les avait pas jetés à fond de cale comme de vulgaires prises de guerre. Ils n'étaient qu'enfermés dans la petite cabine de Big Jack. Un perroquet à la splendide robe verte, perché dans une cage cuivrée, les toisait avec curiosité. Il ressemblait comme deux gouttes d'eau à la statuette en bois de WonderPark.

– À votre avis, demanda Jenn, qu'est-ce qu'ils vont faire de nous ?

Orage haussa les épaules.

– Ce sont des pirates. Tu as déjà vu des films de pirates, non ? Ce sont des brutes, des ivrognes. Comme nous n'avons pas d'or, nous ne les intéressons pas. Dans le meilleur des cas, ils feront comme ils ont dit : ils nous vendront au marché aux esclaves.

– Et dans le pire des cas ? murmura Mervin.

Au même moment, une clé s'introduisit dans la serrure. La lumière du dehors les força à plisser les yeux. La silhouette de Valeria, mains sur les hanches, se dessinait dans l'embrasure de la porte.

– Il faut qu'on parle.

CHAPITRE

7

– J'ai lu le journal de ton père.

Adossée à la cloison lambrissée, la capitaine Valeria s'éventait avec son tricorne. Elle venait de poser le carnet d'Arius sur la petite commode.

– Jourrrnal? répéta le perroquet.

Orage se tortillait, comme si elle espérait se défaire ainsi de ses liens.

– Pourquoi nous retenez-vous?

Valeria examina ses ongles crasseux.

– Nous, les pirates, sommes de nature plutôt prudente. Et la vue d'une barque solitaire avec trois enfants à bord m'incline à la méfiance.

Surtout si ces trois enfants viennent de la Terre.

– Nous vous avons déjà tout expliqué, intervint Jenn. Nous sommes ici…

– Je sais, l'interrompit la capitaine des pirates en remettant son tricorne. Vous, vous cherchez votre sœur. Toi, tu cherches ton père. J'ai entendu parler de lui et de son parc, comme tout le monde ici.

Orage hocha la tête. Cette confession la réconfortait.

– Alors, vous savez que mon père est parti en guerre contre…

La pirate renifla avec mépris.

– Le seigneur Langley, oui. La peste emporte ce démon !

Orage s'étonna.

– Vous le connaissez ?

– Pas directement. Mais des hommes qui ont travaillé pour lui, oui. Ils se multiplient.

Ils sont parmi nous – ici, ailleurs, partout. Langley avance ses pions en secret. Il a capturé ta mère pour que ton père lui révèle les secrets du zéphyr, voilà ce que je me suis laissé dire. Ainsi espère-t-il devenir immortel. Et régner sur d'autres mondes que le sien.

Tandis qu'elle parlait, sa main s'était crispée sur la poignée de son sabre.

– Débarquez-nous, implora Mervin. Laissez-nous sur une plage de l'île. Il doit bien exister un passage vers Darkmoor, non ?

La jeune femme hocha le menton vers le carnet d'Arius.

– On n'accède pas au manoir depuis notre île, c'est bien précisé là-dedans. (Elle se tourna vers Orage.) Le journal de ton père confirme ce que nous pensions. Autrefois, on pouvait entrer directement dans Darkmoor depuis WonderPark – comme on pouvait entrer dans chacun des autres mondes, directement.

Désormais, les accès sont fermés : il faut passer d'un monde à l'autre, dans un ordre bien particulier. Et Libertad est très éloigné de votre destination finale. Pour commencer, il vous faudrait déjà entrer dans le monde suivant. Celui des grandes tours de fer et de verre.

– Et vous savez comment faire ? demanda Jenn.

La pirate croisa les bras.

– Il existe une porte, au bord du cratère

de la Bouche d'Enfer. Le volcan, reprit-elle, en remarquant leurs mines ahuries. La porte s'ouvre avec une certaine clé, activant les propriétés du zéphyr.

Le regard de Mervin s'illumina.

– Vous… Vous possédez cette clé ?

– Je la possédais, rectifia la pirate. Elle faisait partie d'un trésor qui m'a été dérobé il y a des années par le gouverneur Spencer, au temps où je travaillais pour lui – quelqu'un m'a trahie, et je ne sais pas qui. Sans cette clé, ouvrir la porte est exclu.

– Et je suppose, intervint Jenn, que reprendre cette clé au gouverneur Spencer serait compliqué.

Valeria eut un sourire amer.

– Cela fait des années que j'essaie de remettre la main sur mon trésor, figure-toi. Pour ce que j'en sais, il gît désormais dans une salle secrète des profondeurs de Fort

Libertad. Et je ne vois pas comment qui-
conque pourrait s'y introduire.

– À moins d'être invisible, fit remarquer
Orage.

Le regard de Valeria devint perçant.

– Tu fais allusion à ton bracelet magique,
n'est-ce pas ? C'est de cela que je voulais vous
parler.

La jeune fille prit un air déterminé.

– Bien sûr. Nous pouvons nous entraider.
Vous convoitez le trésor, et nous voulons la
clé. Or, nous sommes les seuls à pouvoir
nous servir des artefacts. Parce que, comme
vous avez dû le lire dans le carnet de mon
père, chaque artefact appartient et obéit à la
première personne qui le touche. En prêter
un est possible, mais pour qu'il fonctionne
son propriétaire doit être d'accord, et on ne
peut pas le forcer. Sans nous, ils vous seraient
complètement inutiles.

– Que proposes-tu?

– Que nous tentions de nous infiltrer chez ce gouverneur. Ça pourrait valoir la peine d'essayer, non? Nous sommes des enfants. Personne ne se méfiera de nous.

Valeria se caressa le menton.

– C'est plutôt insensé… commença-t-elle.

Mervin se redressa à son tour.

– Nous lui viendrions en aide! clama-t-il. Le bâton me donne la force. La plume permet à ma sœur de défier la gravité.

– La quoi? fit la pirate.

– Elle me permet de voler, rectifia Jenn.

La capitaine les considéra tous les trois longuement.

– Vous ne savez rien de cette île. Vous ne savez rien du gouverneur.

– Vous pourriez nous expliquer, répliqua Mervin, qui sentait vaciller la volonté de la chef pirate.

Une heure plus tard, l'ensemble des pirates était réuni sur le pont autour des trois enfants.

– Encore une fois, répéta Big Jack, qui s'était placé derrière Mervin.

Le garçon serra ses mains autour du bâton et ferma les yeux. En face de lui, un colosse velu coiffé d'un bandeau rouge agitait les mains.

– Écoutez, les gars, je ne pense pas que ce soit une excellente id…

Brusquement, Mervin frappa le pont de son bâton. Une onde de choc s'en dégagea, telle une vague invisible. Le malheureux pirate fut aussitôt projeté en arrière. Si le bastingage ne l'avait pas retenu, il serait passé par-dessus bord. Un tonnerre d'éclats de rire salua sa chute. Mervin releva la tête, ébloui. Des applaudissements avaient retenti, mais il les avait à peine entendus. Son front

était mouillé de sueur. Ce n'était que la troisième fois qu'il se servait du bâton et, bien sûr, il gagnait en assurance – comme si cet artefact avait été fabriqué pour lui, et qu'il prenait confiance en sa force nouvelle. Mais, d'un autre côté, il se sentait totalement épuisé. Big Jack le rattrapa au moment où il allait perdre l'équilibre.

– Ça suffit, décida Valeria en lui ébouriffant les cheveux. Nous savons ce que nous voulions savoir. Le carnet d'Arius disait vrai, de bout en bout.

Le pirate au torse velu, qui s'était relevé tant bien que mal, se frottait les bras. D'une bourrade, Big Jack poussa Mervin en avant. Le garçon boitilla jusqu'aux deux filles, qui, assises au pied du grand mât, dévoraient d'épaisses tranches de jambon sur du pain noir.

– Tu as été super, commenta Jenn après qu'il se fut écroulé à son côté.

– Je ne sens plus mes membres.

Orage hocha la tête.

– Nous sommes trop jeunes. Ces artefacts, mon père les a obtenus auprès des Elvins. L'âge de quinze ans est sacré, chez eux.

– Les Elvins ? répéta Mervin.

– Des créatures de l'air, répondit Orage. Ils vivent dans le monde d'Askaran. Mon père les a rencontrés. C'est leur roi qui lui a fait cadeau de ces objets ; il en parle un peu dans son carnet.

Le garçon allait la questionner encore lorsque la capitaine Valeria s'avança vers eux, flanquée de Big Jack et de Socrate, le géant à la peau bleue. « Ces pirates ne sont pas si méchants qu'ils en ont l'air », se dit Mervin en les regardant approcher. Mais ils étaient obligés de faire semblant. Ils avaient un rang à tenir.

– Nous avons réfléchi, déclara Big Jack en gratouillant son énorme bedaine.

– Et nous avons un plan, renchérit Socrate. Un plan risqué, et sans garantie. Mais avec votre aide, nous pouvons réussir.

– Parfait, fit Jenn. Expliquez-nous.

CHAPITRE

8

– Je n'en peux plus.

La nuit tombait sur la forêt. À travers les trouées du feuillage, on apercevait la mer, scintillant sous les feux du couchant. D'un revers de manche, Jenn s'essuya le front.

– On y est presque, la réconforta Big Jack en s'arrêtant près d'elle. Écoute. Tu entends ?

De la ville nichée en contrebas, une rumeur lointaine semblait monter. Tambours, trompettes, un grand murmure… Comme tous les soirs, Libertad émergeait de sa torpeur et se préparait à accueillir la nuit.

– Hâtons-nous, fit Socrate en se remettant

en route. Ces manants boivent vite, et en grande quantité. Je préférerais arriver avant qu'ils soient complètement ivres.

Bientôt, le chemin qui traversait la forêt s'élargit et déboucha à l'air libre. Un champ de canne à sucre ondoyait sous le vent et une lune presque pleine se hissait dans le ciel. Mervin, qui ouvrait désormais la marche, se retourna vers le reste du groupe. Un jour plus tôt, réalisa-t-il, il était chez lui, à apprendre ses leçons de mathématiques. Désormais, tout était neuf. Dangereux. Excitant? Le garçon ne put s'empêcher de sourire. Lui d'ordinaire si calme, si contemplatif, était en train de changer. De prendre confiance en lui.

Les cloches d'un couvent en pierre ocre venaient de sonner neuf coups lorsque la petite troupe arriva aux abords du fort, juché sur son rocher au bord de la mer.

Les trois enfants portaient des vêtements aux couleurs vives, un peu trop larges pour eux – tout ce qu'on avait pu leur dénicher dans les coffres du *Farouche*. Les adultes, eux, s'étaient grimés. Big Jack était devenu un marchand bourgeois, vêtu d'une ample tunique et d'un gros ceinturon de cuir. Socrate s'était peint la peau en noir et avait passé une chemise blanche ; son allure était celle d'un marin au long cours. Valeria, quant

à elle, vérifiait sans cesse que sa moustache postiche était bien collée sur sa lèvre supérieure. Avec son long manteau de cuir, elle ressemblait à un jeune noble distingué.

Dans une ruelle à l'écart, ils terminèrent de préparer Orage. Manches retroussées, sang de porc badigeonné : elle avait l'air en bien piteux état.

– Prête ?

Elle adressa un clin d'œil à Socrate, qui la souleva dans ses bras et se dirigea d'un pas pressé vers les portes du fort. Les quatre autres suivaient.

Comme annoncé, deux gardes étaient postés de chaque côté du pont. L'un d'eux, un gaillard grand et sec, affublé d'une barbe en pointe, se pencha, soupçonneux.

– C'est pour ?

Valeria s'avança en tortillant sa moustache.

– Ma fille s'est blessée, dit-elle d'une voix

étonnamment rauque et grave. On nous a dit que le médecin personnel du gouverneur se trouvait en ces murs.

– Qui est ce « on » ?

– Le duc de Saint-Esther. Un ami personnel.

Désarçonné, le garde jeta un coup d'œil à la blessure d'Orage. La lumière diffusée par les torches était trop faible pour qu'un œil peu avisé puisse distinguer le subterfuge.

– Ça n'a pas l'air très propre, en effet. Et eux ?

– Voici Arthur, mon homme à tout faire, commença Valeria en désignant Socrate. Lui, ajouta-t-elle en désignant Big Jack, c'est mon frère. Et voici ses enfants ; ils étaient présents quand c'est arrivé.

Le garde se tourna vers Jenn et Mervin.

– Bon, peu importe. Vous pouvez entrer. Mais il y a du monde, ce soir. Je ne vous promets pas que vous trouverez facilement l'homme que vous cherchez.

Ils passèrent la porte tous les six. Dans la grande cour du fort, une foule bigarrée se massait. Deux fois par semaine, le gouverneur et ses favoris s'adonnaient aux plaisirs de la fête. Cracheurs de feu, montreurs d'ours et diseuses de bonne aventure faisaient le spectacle pour des bourgeois ventripotents, ivres pour la plupart. Partout, ce n'étaient que robes virevoltantes et visages rougeauds. Des serveuses au corsage serré, chargées de cruchons en terre cuite, se frayaient un chemin à travers la cohue.

– Par ici, marmonna Big Jack entre ses dents en désignant une tour d'angle. D'après notre plan, le trésor est gardé quelque part au sous-sol.

Personne ne leur prêtait vraiment attention. Socrate avait reposé Orage à terre. La jeune fille fit coulisser le bracelet à son poignet.

– Attendez-moi ici.

Elle fit trois pas et disparut. Mervin opina du chef, nerveux. Pour l'heure, tout se déroulait comme prévu. À présent, il fallait attendre.

Orage n'était pas partie depuis deux minutes que des bruits de bottes pressés se firent entendre. Trois gardes s'approchaient, mousquets braqués. Valeria pivota sur elle-même. Trois autres gardes s'avançaient de l'autre côté. Et ils venaient pour eux, aucun doute là-dessus.

Mervin, qui tenait fermement son bâton, leva les yeux sur Socrate. Les gardes pointaient leurs armes sur eux.

– Au nom du gouverneur, vous êtes en état d'arrestation. Levez vos mains en l'air.

Mervin jeta un regard à Jenn, qui acquiesça.

– Je crois qu'on devrait… commença Socrate.

Mais Mervin ne lui laissa pas le temps de terminer. De son bâton, il frappa le sol de terre battue. Une formidable onde de choc se déploya à partir du point d'impact. Balayés comme des fétus de paille, les gardes furent rejetés en arrière, et leurs armes leur échappèrent. Sans plus réfléchir, Mervin se mit à courir.

Lestement, Orage avait gravi les trois marches menant à la porte de la tour et fait jouer la poignée de la lourde porte de bois. Ouverte !

À l'intérieur, elle écarquillait maintenant

les yeux, sans se douter une seule seconde de ce qui se passait dehors. Des torches grésillaient le long du corridor. Elle s'avança à pas de loup.

Tant qu'elle pourrait rester invisible, elle continuerait. Mais cela lui coûtait, et de plus en plus. L'air se faisait lourd, et ses mouvements devenaient laborieux.

La deuxième porte était ouverte, elle aussi. Elle descendit les marches. Tout était simple pour l'instant. Trop simple ?

Un autre corridor. Le sol était de terre battue, ici, et Orage progressait dans un profond silence, attentive à la moindre alerte. Ce qui l'embêtait, c'étaient les traces de pas qu'elle laissait. Elle voulait en finir, et vite. Soudain, elle s'arrêta. Avait-elle entendu quelque chose ? Elle jeta un coup d'œil au plan fourni par Socrate. Il lui suffisait à présent de gagner l'extrémité de ce corridor et…

Le cœur battant, elle s'immobilisa. Dans son dos, la lourde porte de fer venait de s'ouvrir à nouveau, laissant le passage à des hommes en armes ; devant elle, d'autres hommes surgirent de l'angle du corridor…

9

« Ils me cherchent ! » s'indigna intérieurement Orage en regardant ces hommes arriver. Mais comment savaient-ils qu'elle était là ? Alors qu'elle s'était rendue invisible ? Les pirates étaient-ils de mèche ? Ou y avait-il un traître parmi eux ?

Elle leva la tête. Les gardes de Fort Libertad étaient certains de la tenir : invisible ou pas, en effet, il y avait ces fichues traces.

– La voici, messieurs, tonna le chef des gardes en pointant son canon de pistolet dans sa direction. Emparez-vous d'elle.

Orage ferma les yeux et, doucement, porta

une main à son crâne. Les gardes se rapprochaient, canons braqués. Bientôt, ils allaient se rejoindre – avec elle au milieu. C'était une question de secondes.

– Aïe !

Le premier garde du groupe arrière se frotta le front, irrité. Il venait de se cogner au premier du groupe avant. Comment était-ce possible ? Leur chef les écarta, impatient, furieux.

– Parbleu, cette gamine se trouve forcément quelque part ! Fouillez-moi tous les recoins de cette prison !

Jenn ouvrit les yeux. Un mince filet d'eau tiède coulait sur ses lèvres. Elle se redressa. Big Jack, qui la soutenait d'une main placée sous sa nuque, lui souriait.

– Bon retour parmi nous, petite.

Sans le faire exprès, elle envoya son bol rouler dans la paille. Et se rassit.

– Qu'est-ce que… ?

Elle examina les lieux, affolée. Apparemment, elle avait été jetée dans un vulgaire cachot. Ce qui s'était passé, elle n'arrivait pas à s'en souvenir. Elle se revoyait dans la cour du fort. Les gardes étaient sur le point de les encercler. Son frère avait empoigné son bâton pour en frapper le sol, et ensuite…

– Mervin ! Où est Mervin ?

Big Jack ébaucha un geste impuissant. Sa tunique était déchirée, sa ceinture lui avait été confisquée, et un magnifique coquard ornait son œil gauche.

– Il doit être avec Valeria dans une autre cellule. Ne t'inquiète pas.

La jeune fille se leva et empoigna les barreaux de leur geôle. « Ne t'inquiète pas. » Le conseil le plus stupide qu'elle eût jamais entendu !

– Mervin !

Elle criait, secouant les barreaux. Big Jack se redressa avec un grognement et abattit sa grosse main sur son épaule.

– Qu'est-ce que tu crois ? Qu'ils vont venir nous ouvrir ?

Elle le dévisageait, interdite.

– Nous avons été trahis, Jenn.

– Quoi ?

– Quelqu'un savait que nous viendrions.

– Mais qui ?

L'œil noir, la jeune fille alla se rasseoir et remonta ses cuisses contre sa poitrine. Une âcre odeur d'urine empuantissait l'atmosphère.

– C'est peut-être vous.

– Et c'est peut-être toi, répliqua Big Jack, adossé au mur d'en face. Ce genre d'hypothèse ne nous avance guère.

La jeune fille passa une main sur son crâne et grimaça. Elle avait perdu connaissance quand sa tête avait heurté le pavé dans la cour. Au moment… Oui, au moment où Mervin avait frappé le sol de son bâton, envoyant tout le monde rouler dans la poussière.

– Vous l'avez vu ?

– Qui ?

– Mon frère. Vous l'avez vu se faire emmener ?

Big Jack coinça un brin de paille entre ses lèvres et le recracha aussitôt.

– J'avais trois gardes sur le dos. Peut-être

quatre. Tout le monde se flanquait des coups.
Je ne saurais pas te dire.

Jenn soupira. Comme sa chambre lui manquait, en cet instant… Et sa petite sœur ! Une
nausée lui souleva le cœur. Zoey, la malheu-
reuse… La plupart du temps, Jenn arrivait à
ne pas y penser. À se concentrer sur le présent, à se convaincre qu'ils allaient la retrouver. Mais s'ils n'y parvenaient pas, hein ? S'ils
restaient coincés dans cette prison à jamais ?
Elle songea à leurs parents, qui devaient déjà
être morts d'inquiétude.

Elle en était là de ses angoissantes réflexions
lorsqu'un grincement les fit sursauter, suivi
d'un bruit de bottes.

Des pas se rapprochaient. Un homme en
habit bleu roi, brodé de fils argentés et coiffé
d'une ample perruque blanche, s'arrêta devant
leur cellule, flanqué de deux gardes. Son
visage était poudré, son nez interminable,

et ses yeux pétillaient de malice. Il porta un mouchoir à ses narines.

– Dieu, quelle puanteur !

– Je ne vous le fais pas dire, grogna Big Jack en s'approchant des barreaux. Est-ce que ce serait trop demander de – aïe !

Il trébucha et retomba dans la paille. L'un des gardes venait de lui flanquer un coup de crosse dans le ventre.

– On se tait devant le gouverneur Spencer !

Un genou à terre, Jenn aida Big Jack à se relever, sans quitter le gouverneur des yeux. L'homme replia son mouchoir et sourit.

– Dis-moi, petite. Où se trouve donc ton amie, la jeune fille aux cheveux noirs ?

Jenn garda le silence.

– Hum. On dirait que tu as perdu ta langue. Peut-être la retrouveras-tu demain, quand nous nous occuperons de ton frère.

Jenn sentit le sol s'ouvrir sous ses pieds.

– Mervin ! Où est-il ?

Le gouverneur toussa dans son poing, comme s'il n'avait pas entendu la question. La jeune fille se rua sur les barreaux.

– Je veux le voir !

– Arrière ! grogna un garde, qui essaya de la frapper à son tour.

Mais Jenn, qui s'attendait à cette riposte, recula hors de portée. Le gouverneur émit un petit rire déplaisant.

– Du calme, petite. (Il épousseta sa veste.) Ton frère sera pendu, si cela peut répondre à ta question.

– Quoi ?

Jenn chancela, comme si on lui avait enfoncé

un poignard en plein cœur. Elle avait dû mal entendre.

Big Jack brandit les poings.

– Espèces d'ordures ! Vous n'allez tout de même pas vous en prendre à un gosse !

– Ça ne dépend que d'elle, fit le gouverneur en hochant le menton vers Jenn d'un air ennuyé. Ainsi que je le disais, j'ai besoin de savoir où se trouve cette jeune fille aux cheveux noirs. Besoin de savoir où se cache son père, aussi. Si la mémoire vous revient d'ici demain matin, ma chère, ajouta-t-il avec une révérence, peut-être songerons-nous à épargner votre frère.

Jenn le regarda quitter la pièce et repensa aux propos de Valeria : le gouverneur Spencer travaillait avec le seigneur Langley, celui qui avait enlevé sa sœur et recherchait Orage. À présent, c'était évident.

CHAPITRE 10

— Ne t'inquiète pas, murmurait Big Jack, assis au côté de Jenn. Ils ne le tueront pas. C'est du bluff. Même cette crapule de gouverneur n'osera pas faire une chose pareille. (Il se frotta les joues, hagard.) Il se contentera de nous pendre pour l'exemple. Nous, les adultes.

Il avait dit cela comme s'il peinait encore à y croire. Anéantie, Jenn avait enfoui son visage entre ses genoux. Une foule de pensées l'assaillaient, pareilles à des corbeaux rassemblés autour d'une charogne. La seule raison pour laquelle on les avait écoutés, la seule raison pour laquelle on les avait pris au sérieux, c'étaient les artefacts. Sans eux, ils n'étaient plus rien.

Une fois de plus, elle porta une main à son crâne : l'endroit où la plume aurait dû se trouver. Peut-être que si elle l'avait gardée – si elle ne l'avait pas confiée à Orage –, elle aurait pu tenter quelque chose.

Poings serrés, Big Jack s'était mis à boxer un ennemi imaginaire.

Quelle heure était-il ? Jenn avait perdu la notion du temps. Demain à l'aube, Mervin…

Non, non, elle ne voulait pas penser à ça. Il fallait qu'elle concentre ses pensées sur Orage. Le gouverneur la cherchait. Cela voulait donc dire qu'elle leur avait échappé et qu'elle se trouvait quelque part, dehors.

À bout de forces, la jeune fille, couchée sur le flanc, ferma les yeux. Big Jack, de son côté, avait fini par se rasseoir. Avec douceur, il lui caressait les cheveux. Elle sombra sans s'en rendre compte.

– Jenn ?

Elle ouvrit les yeux et se redressa promptement.

– Jenn…

Big Jack lui secouait l'épaule. Elle se frotta les paupières. Il posa un doigt sur sa bouche et lui montra la porte de la cellule. Elle était entrouverte.

– Comment… chuchota-t-elle.

Le pirate lui saisit le poignet.

– Pas un mot.

Il risqua un pied dehors, hocha la tête, puis l'entraîna à sa suite. Jenn faillit pousser un cri quand elle vit qui les attendait, collée au mur adjacent, un doigt sur les lèvres. Orage ! Orage, qui exhibait un trousseau de clés.

Jenn aurait voulu lui sauter au cou. Elle avait tant de questions ! Mais ce n'était absolument pas le moment. D'un geste, Orage leur fit signe de la suivre. Ils longèrent une série de cellules à pas feutrés. À chaque instant, Jenn s'attendait à découvrir son frère. Où était-il ? La plupart des cachots étaient vides et, dans ceux qui ne l'étaient pas, des ivrognes crasseux ronflaient comme des bienheureux.

Enfin, Jenn introduisit une clé dans une serrure. Valeria ! La capitaine pirate, qui s'était relevée avec la souplesse d'un chat, émergea de l'ombre, les yeux brillants. Elle étreignit brièvement sa sauveuse et adressa aux autres un regard entendu. Ils étaient quatre, à présent. Mais où se trouvaient Mervin et Socrate ?

Une volée de marches se perdait dans les ténèbres. Valeria attrapa une torche et la tendit à Jenn. Elle en prit une autre pour elle.

L'escalier montait en colimaçon ; il sentait la vieille pierre, la moisissure. Après quelques marches, le petit groupe s'arrêta. Les flammes jetaient sur les murs des ombres déformées.

Orage sortit le plan de sa poche.

– Ce parchemin est criblé d'erreurs. Où diable Socrate l'a-t-il déniché?

– Nous le lui demanderons quand nous le retrouverons, fit Valeria en brossant les manches de son manteau. Heureusement que lui et Mervin ont réussi à s'échapper! ajouta-t-elle en jetant un bref regard à Big Jack.

– J'étais occupé à me battre, grommela le pirate, comme si on lui avait adressé un reproche.

– Et moi, renchérit Jenn, je me suis cognée. J'ai perdu connaissance. Mais vous dites que mon frère…

La capitaine posa une main sur son épaule et lui sourit.

– Ton frère s'est servi du bâton, et il a profité de la confusion pour filer. C'était le meilleur choix. Je n'en veux à personne. Avec un peu plus de veine, nous aurions pu tous nous en sortir.

Restée en arrière, Jenn ferma les paupières. Une vague de soulagement montait en elle. Ainsi, le gouverneur n'avait menti que pour lui soutirer des informations. Montant les marches quatre à quatre, elle rattrapa Orage.

– Et toi, comment as-tu fait pour leur échapper ?

La jeune fille détacha la plume de ses cheveux et la lui rendit.

– Invisibilité plus lévitation. Quand ils ont cru m'attraper, je suis montée au plafond. Pour de vrai.

Jenn hocha la tête. Elle avait encore des tonnes de questions, mais le temps pressait.

Sur les dalles, leurs pas résonnaient horriblement. À tout moment, Jenn s'attendait à voir débarquer une escouade de gardes furibonds. Profitant de son invisibilité, Orage avait assommé le gardien des clés en lâchant un bloc de pierre sur sa tête. Combien de temps avant qu'il se réveille et que leur évasion soit signalée ?

Enfin, ils débouchèrent sur une vaste salle mal éclairée. Deux portes se présentaient. Orage tendit son plan à la chef des pirates, qui l'examina avec scepticisme. Elle était déjà venue en ces lieux des années auparavant – au temps où elle n'était pas encore l'ennemie jurée du gouverneur. Elle fouillait dans ses souvenirs, sans succès.

Soudain, des éclats de voix montèrent de l'étage inférieur. Cette fois, l'alarme avait été donnée. Valeria désigna une porte.

– Par ici !

– C'est le garde-manger, protesta Orage tandis qu'ils s'engouffraient dans l'escalier au pas de course. Ça ne mène nulle part…

Passant devant une porte close, ils conti-
nuèrent à monter. En bas, leurs poursuivants
hésitaient, attendaient les ordres. Encore un
peu de temps de gagné. Mais, d'une façon ou
d'une autre, ils allaient se retrouver coincés.

– Qui va là?

Ils étaient parvenus au sommet des
marches. Un garde en uniforme avait tiré
son sabre et s'avançait, menaçant. Valeria et
Big Jack battirent en retraite, et un sourire
sinistre se dessina sur les lèvres de l'homme.
Il venait de comprendre que les nouveaux
venus n'étaient pas armés.

– Fugitifs, hein?

Il fit siffler son sabre, puis s'arrêta à la vue
de Jenn.

– Et toi? murmura-t-il, goguenard. Qu'est-
ce que tu fais ici? Tu crois peut-être que…

Trébuchant dans le vide, il tomba en avant,
poussé par une forme invisible. Jenn et Big

Jack eurent le réflexe de s'écarter. Battant des bras, le gros homme s'affala et s'en alla rouler au bas des marches. Orage réapparut aussitôt, le souffle court, caressant son bracelet.

– Je ne vais pas pouvoir faire ça très longtemps, annonça-t-elle.

Valeria actionna la poignée de la porte, qui, évidemment, était close. Elle se tourna vers Big Jack. Comprenant ce qu'on attendait de lui, le petit colosse retroussa ses manches et prit son élan. La première fois, la serrure résista.

Pas la deuxième.

Dans un grand fracas, le pirate s'étala sur le seuil et se releva dans le même élan. Les autres avaient suivi. Seul au milieu de la grande pièce, le gouverneur Spencer les considérait avec effarement. Sans perdre une seconde, Big Jack referma la porte, attrapa une chaise et la coinça sous la poignée.

Valeria s'avança.

– Comme on se retrouve, Votre Honneur.

De toute évidence, ils venaient d'entrer dans ses appartements : une pièce décorée de mille statues et autres bibelots rapportés d'expéditions lointaines. Au mur, des tentures luxueuses étaient clouées. Les bois étaient des essences rares, les marbres soyeux. Dans un coin, sous la fenêtre, un coffre de merisier était ouvert, débordant d'or et de joyaux.

Livré à lui-même, le gouverneur avait perdu de sa superbe. Il commença à reculer.

– Que voulez-vous ?

En un éclair, Big Jack fondit sur lui et le plaqua contre un mur. Il était un peu plus petit que l'homme, mais beaucoup plus robuste : son bras placé sous la gorge du gouverneur, il menaçait de l'étouffer. L'autre ne tenta même pas de se débattre.

– À ton avis ? persifla Valeria en s'accroupissant devant le coffre. Je viens reprendre ce que tu m'as volé.

– Volé ? s'égosilla l'homme. Mais ces richesses ne t'appartiennent aucunement, brigande ! Elles proviennent des galions que tu as pillés sous mes ordres, au temps où tu étais raisonnable encore, des cales de vaisseaux ennemis, de…

– Oh. Et je présume que cela fait de toi leur propriétaire.

La jeune femme se releva, regarda autour d'elle et, d'un coup, arracha une tenture du mur. Elle l'étendit au sol et commença à y déverser des monceaux de pièces et de vaisselle d'or. Puis elle s'arrêta et se retourna vers Jenn et Orage. Entre ses doigts, une clé d'or brillait.

– Vous perdez votre temps, cracha le gouverneur. Les renforts arrivent.

Valeria rafla un coupe-papier aiguisé, puis se retourna vers les deux jeunes filles, qui, sans même qu'elle ait eu besoin de prononcer un mot, avaient compris ce qu'elle attendait d'elles : prendre ce qu'elles pouvaient du trésor.

Déjà, on tambourinait au-dehors, et la porte – bloquée par la chaise – commençait à céder sous les assauts des gardes.

– Au nom de la loi !

Valeria eut un petit rire amer. Elle écarta Big Jack, se plaça juste derrière le gouverneur et lui posa sa lame sur la gorge.

La seconde d'après, la porte explosait.

– Pas un geste ! prévint la capitaine. Si vous tentez quoi que ce soit, je tranche la gorge de votre gouverneur. Ce moment, ajouta-t-elle, je l'attends depuis des années : croyez-moi, je ne me refuserai pas un tel plaisir.

Le chef des gardes, un grand gaillard

affublé d'une moustache grise, baissa le mousquet qu'il braquait dans leur direction.

— Que voulez-vous ? demanda-t-il tandis que Jenn se relevait, un lourd baluchon sur l'épaule.

— Sortir d'ici, répliqua Big Jack, les poings sur les hanches. Libres.

CHAPITRE
11

Hors d'haleine, Mervin se laissa glisser le long d'un tronc d'arbre et observa ses mains pleines de terre. La lune, clouée dans le ciel comme un trophée, jetait ses pâles rayons sur la petite clairière où il avait trouvé refuge. Là-bas, au pied de la colline, les lumières de Libertad scintillaient au bord de l'océan obscurci. Une fois encore, le garçon se frotta les yeux. Il avait réussi à s'échapper, et il n'en revenait pas. Il se revoyait, slalomant dans les ruelles, les gardes à sa poursuite. L'écho de ses pas sur les pavés, les torches grésillant, les odeurs de viande fumée, la trogne de ces forbans, mercenaires, filles de joie, les visages rougis, les yeux écarquillés –, il revivait la scène sans fin.

Sourd à sa peur, et sans même savoir si les autres s'en étaient sortis (apparemment, non), il s'était enfui. À présent, il était seul. Que faire ?

Anéanti, il posa son bâton à côté de lui. Cette fois, il avait échoué à sauver Jenn. Pire : il était parti sans elle. Et Zoey, dans tout ça ? Qui allait la sauver, elle ? Un immense sentiment de culpabilité montait en lui. Il leva les yeux vers la lune. Il était sur le point de fondre en larmes quand un cri le tira de sa torpeur.

– Mervin ?

Il se releva, aux aguets. La grande silhouette de Socrate avançait sur le sentier. Son cœur bondit dans sa poitrine, et il s'apprêtait à crier son nom en retour lorsque, galopant vers le géant, il vit approcher un cavalier qui tenait haut une lanterne. Un garde du gouverneur ! Il fallait qu'il descende, il fallait qu'il vienne en aide à Socrate, il fallait…

Il se figea, sidéré. L'homme avait arrêté son cheval et discutait avec le géant à la peau maquillée de noir comme s'il s'agissait d'une vieille connaissance.

Mervin vit Socrate approuver et les deux hommes se serrer la main, après quoi le cavalier fit volte-face et repartit sur le sentier, comme il était venu. Qu'est-ce que ça signifiait ? Le garçon ne comprenait pas. Ou alors… De nouveau, les mains en porte-voix, le géant cria son nom. L'instinct de Mervin lui disait de ne pas répondre – pas tout de suite, en tout cas.

Socrate s'engagea sur le sentier, qui longeait un lac. Prudent, le garçon recula dans l'ombre. Le géant continua de l'appeler un moment puis, sans doute fatigué de s'époumoner en vain, ôta sa tunique et s'avança sur la berge pour se laver.

Mervin le regarda reprendre sa couleur bleue et s'asperger le visage à grands baquets. L'eau devait être glacée, mais il ne paraissait pas s'en soucier. Le garçon plissa les yeux pour mieux voir. Torse nu, à une dizaine de mètres à peine, Socrate lui tournait le dos. Tout au bas de son dos, un singulier tatouage venait d'apparaître, noir sur la peau bleue. Un loup énorme, gueule béante, et deux lunes derrière. Pour une raison incompréhensible, Mervin sentit un grand froid l'envahir.

Il recula d'un pas, et une branche craqua sous son pied. Socrate se retourna aussitôt et sortit de l'eau, raflant sa tunique au passage.

– Mervin ?

Le garçon n'eut d'autre choix que d'émerger des fourrés avec un sourire contrit.

– Salut, bredouilla-t-il.

– Tu m'espionnais ?

– Moi ?

« Heureusement qu'il fait nuit, songea Mervin. Sans quoi il me verrait rougir jusqu'à la racine des cheveux. » Le géant secoua la tête et sourit.

– Je plaisantais. Je suis si heureux de te retrouver !

Il y avait quelque chose de subtilement menaçant dans le ton de sa voix. Perplexe, le garçon se figea. Socrate lui tendait la main.

– Eh bien quoi ? Tu as peur de moi ?

– Il faut… Il faudrait qu'on retrouve les autres, je crois.

Le sourire du pirate brillait dans la pénombre.

– Tu as raison, dit-il, laissant son regard planer sur la ville illuminée en contrebas. Allez, viens.

CHAPITRE
12

Quand il les aperçut, courant les uns derrière les autres au milieu des champs, Mervin sentit les larmes lui monter aux yeux. Jenn, Orage, Big Jack et Valeria ! Ils étaient là, tous les quatre, sains et saufs !

– Grand frère !

Jenn se jeta dans ses bras, manquant de le faire tomber à la renverse. Le garçon sourit et lui tapota le dos en observant les autres. Orage le regardait avec tendresse.

Socrate et Valeria se donnèrent l'accolade, et le géant à la peau bleue adressa un bref salut à Big Jack, qui tenait le baluchon rempli d'or sur son épaule.

– Nous devons regagner notre navire et partir au plus vite, déclara Valeria aux enfants. Mais avant cela, je vous l'avais promis : je vais vous aider à trouver votre porte.

Sur les flancs de la Bouche d'Enfer – un volcan qui ressemblait à celui du parc, en dix fois plus imposant, dix fois plus massif –, la petite troupe grimpait en file indienne. La forêt devenait moins touffue à mesure qu'ils montaient. Elle bruissait de mille sons inconnus, mais les enfants ne ressentaient aucune crainte. Ils avançaient, fiers de ce qu'ils avaient accompli, conscients de ce qui leur restait à affronter. La porte qu'ils cherchaient se trouvait là-haut, leur avait expliqué la chef des pirates. Juste au bord du cratère.

Le gouverneur, qu'ils avaient relâché, sans

ses vêtements, dans une clairière à quelques kilomètres des portes de la ville, devait être fou de rage. Sans doute avait-il lancé ses gardes à leur recherche. Mais leurs chevaux ne pouvaient pas traverser la forêt.

Les enfants avaient tant de choses à se raconter ! Ils parlaient par à-coups, quand la pente n'était pas trop raide et que leurs efforts ne leur coupaient pas le souffle. Mervin expliqua comment il s'était échappé. Jenn raconta comment Orage les avait sauvés et comment ils avaient pris le gouverneur en otage ensuite. Leurs yeux brillaient d'excitation.

Plus tard, tandis que l'aube s'annonçait sur l'horizon de la mer, teintant le ciel d'un magnifique rose pâle, Mervin évoqua la rencontre de Socrate avec le cavalier du gouverneur ainsi que son tatouage et son comportement étrange. Orage s'arrêta net.

– Répète ça ?

Mervin s'exécuta, décrivant le tatouage — le loup, les deux lunes — du mieux qu'il le put.

— C'est le signe, murmura Orage, le visage soudain très grave. Je me rappelle : le dessin dans le cahier de mon père.

Son front se plissait d'inquiétude. Sans attendre, elle distança les Lidell pour rejoindre Valeria, qui ouvrait la marche.

Elle lui raconta ce qu'elle savait. La chef des pirates l'écouta. Distraitement d'abord, puis avec de plus en plus d'attention. Son regard s'assombrissait. Comment avait-elle fait pour ne jamais voir ce tatouage ? Elle se sentait tellement stupide, car, bien sûr, elle savait pertinemment ce qu'il signifiait : c'était l'emblème du seigneur Langley.

— Hé !

Ils se retournèrent, stupéfaits. Socrate, qui avait rattrapé les autres, venait d'arracher son sac à Big Jack et s'était enfui dans les sous-bois.

Pris de panique, tous se lancèrent à la poursuite du traître. C'était lui ! Écartant les branches sur leur passage, se motivant les uns les autres, ils zigzaguaient entre les arbres, pestaient, juraient, s'encourageaient. Mais le géant à la peau bleue avait pris de l'avance. Bientôt, la forêt disparut pour laisser place à des broussailles. La silhouette du fugitif se détachait sur la terre brune.

Valeria menait la poursuite. Dans ses yeux brillait la colère. Colère d'avoir été trompée, trahie. Mervin, qui avait surpris cette expression, interrogeait sa mémoire à la recherche de signes. Pour qui travaillait Socrate ?

Ils galopaient sur les pentes en ordre dispersé. Big Jack fermait la marche. Sa corpulence l'empêchait de courir aussi vite que, les autres. Mais les enfants ne se retournaient plus. Tous,

ils sentaient confusément que, s'ils ne rattrapaient pas Socrate, Zoey serait perdue, à jamais. Et cette pensée leur donnait des ailes.

Ils ne se trouvaient plus très loin du sommet du volcan. Des fumerolles s'échappaient du cratère –, on les voyait s'élever dans les premiers feux du matin.

Arrivé au bord, Socrate avait cessé de courir, comme libéré d'un poids. Rapidement, il répandit le contenu de son sac à terre, vaisselle et bijoux éparpillés, et exhiba la clé d'or en défiant ses poursuivants du regard.

Juste derrière lui, un chemin escarpé serpentait en une étroite corniche au-dessus du volcan. Un portail de marbre et d'or se dressait au bout.

Le petit groupe s'arrêta. Entre deux doigts, Socrate tenait la clé au-dessus du lac de lave qui crépitait plusieurs centaines de mètres plus bas.

– C'était toi ! s'exclama Valeria. Toi, depuis le début.

– Allons, ma belle. Nous sommes des pirates, non ? Sans foi ni loi, tu te rappelles ?

– Qu'est-ce que tu veux ?

– Elle ! Contre votre petite sœur.

Socrate désignait Orage. Jenn secoua la tête, furieuse.

– Vous êtes devenu fou ?

Le géant tourna son regard vers elle.

– À l'heure qu'il est, ma chère, votre petite sœur a probablement dû franchir les portes de Darkmoor. Oh, la kidnapper était une erreur, je vous l'accorde. Ce n'était pas elle que nous étions censés capturer. Mais ces hommes-singes sont un peu stupides… Enfin, il faut savoir tirer profit de ses erreurs, pas vrai ?

– « Nous ? » répéta Mervin. Que signifie ce « nous » ? Et pourquoi voulez-vous Orage ?

– Moins tu en sauras, mieux cela vaudra, répondit méchamment Socrate. Aux yeux du seigneur Langley, ni toi ni ta sœur ne représentez le moindre intérêt. À présent, faites avancer Orage, et qu'elle tienne son bracelet à la main. Nous partirons, et nous vous rendrons la petite. Vous avez ma parole.

Jenn et Mervin allaient répondre. Orage ne leur en laissa pas le temps. Docile, résignée, elle s'avançait vers le géant à la peau bleue.

– Orage… murmura Valeria, tu ne peux pas…

Elle allait se livrer, réalisa Mervin avec horreur. Elle était sur le point de rejoindre ce traître. Il poussa un hurlement de rage.

Quelque chose venait de se briser en lui. Lancé à pleine vitesse, son bâton pointé en avant, il passa devant Orage et percuta le géant – ou crut le percuter : son adversaire, plus rapide, avait esquivé l'assaut de justesse.

Il lui arracha le bâton des mains et l'attira à lui avec un sourire féroce. À mi-chemin, Orage écarquilla les yeux. Elle vit Jenn glisser la main sur sa plume et, d'un coup de talon, s'envoler dans le ciel. Alors, l'espoir rejaillit en elle, et elle comprit ce qu'elle devait faire : elle lui lança son bracelet.

Jenn le rafla au passage et disparut aussitôt à leur vue.

Orage ne laissa pas passer l'occasion. Elle fondit sur Mervin et Socrate, et les poussa en arrière. Le géant, qui n'avait pas eu le temps d'assurer ses appuis, bascula dans le vide avec une expression d'horreur incrédule, emportant Mervin dans sa chute. Mais Jenn, qui avait suivi la scène, fonça droit sur son frère et le rattrapa au vol. Rassemblant ses dernières forces, comme si elle flanquait un coup de talon au fond d'une piscine, elle remonta vers les nuées et, totalement épuisée, s'affala avec lui sur le bord du cratère.

Socrate était tombé droit dans la lave sans émettre la moindre plainte. Éberluée, la petite troupe se pencha au-dessus du lac de lave. Orage et Mervin soutenaient Jenn.

— Merci, murmura la jeune fille aux cheveux

noirs à ses deux amis. Merci de m'avoir sauvée, mais vous n'auriez pas dû. Car, à présent,
nous avons perdu tout espoir d'entrer dans
le monde suivant.

Avec un sourire, Big Jack, qui venait de
rejoindre le reste du groupe, sortit un petit
objet doré de sa poche.

– Tu me croyais assez stupide pour avoir
laissé la vraie avec le reste du trésor ? Ça faisait un moment que je me demandais qui
nous avais dénoncés au fort. Nous n'avions
commis aucune erreur.

Il ouvrit les doigts d'Orage et les referma
sur le précieux sésame. La jeune fille se mor-
dit les lèvres, déchirée. Tout s'était passé si
vite, au fond. De Libertad, ils n'avaient presque
rien vu. Pourtant, le temps pressait, terriblement. Dans le regard de ses amis, elle lut une
supplication. Il fallait sauver Zoey. Retrouver
son père, aussi, peut-être.

L'heure des adieux avait sonné. Valeria s'avança, une main sur le cœur.

– Partez vite, dit-elle, en regardant ailleurs. Vous nous avez été d'un immense secours. Mais quelqu'un a besoin de vous, de l'autre côté.

Mervin prit une grande inspiration. Il était en train d'apprendre à maîtriser ses émotions, à ne plus se laisser submerger. Comme les autres, il laissa les deux pirates le serrer dans leurs bras. Il y avait tant à dire, et si peu de temps pour parler. Là-bas, dans la forêt, les gardes du gouverneur montaient déjà à la rencontre des fugitifs.

Orage s'avança vers la porte et se retourna pour attendre ses amis. Tout ce qu'elle connaissait du monde suivant, c'étaient les attractions qu'elle avait vues sur le plan, et son nom, bien sûr : Mégalopolis. Tout ce que savaient les Lidell, c'est qu'il leur fallait passer d'un univers à l'autre pour retrouver leur sœur et le père de leur amie.

Il n'y avait pas à hésiter. Dans un instant, ils allaient franchir le seuil.

FABRICE COLIN

Né en région parisienne en 1972, marié et père de deux enfants, Fabrice Colin s'est très vite tourné vers l'imaginaire et les jeux de rôle. À 15 ans, il publie son premier scénario en revue, après quoi il se tourne vers le roman (son premier livre sort en 1998).

Depuis lors, il écrit des histoires pour les adultes, les adolescents et les enfants, ainsi que des nouvelles, des scénarios de bande dessinée et des pièces de théâtre radiophoniques pour France Culture. Ses romans les plus connus sont *Projet oXatan*, étudié dans les collèges, *La Malédiction d'Old Haven*, *Bal de givre à New York* et *Enfin la sixième!* Aux éditions Nathan, il a récemment fait paraître *Guide de survie de l'enfant normal dans un monde magique* (tout est dans le titre!).

Quand il s'ennuie (?), Fabrice s'occupe de son blog : fabrice-colin.over-blog.com.

Oh, il est aussi éditeur, pour le compte des éditions Super 8.

ANTOINE BRIVET

Antoine Brivet est né en 1980 à Bourg-en-Bresse. Il est professeur des écoles dans la Loire. Autodidacte de la bande dessinée et de l'illustration, il fait partie de l'atelier riorgeois l'Apart.

En 2010, il sort le premier tome de la BD *Tortuga* (chez Ankama Éditions avec Sébastien Viozat au scénario et Virginie Blancher à la couleur). Le tome 2 clôt l'intrigue en 2012.

Antoine puise ses influences dans les productions des maîtres du noir et blanc comme Victor de Fuente, John Buscema, Frank Miller, Mike Mignola, Matthieu Lauffray... En 2013, en parallèle de ces univers sombres et fantastiques, Antoine décide de s'investir pleinement dans l'illustration jeunesse.

En 2015, les éditions Nathan font appel à ses services pour illustrer *WonderPark*, et l'aventure commença...

L'aventure continue !
Retrouvez Jenn, Mervin et Orage...

Cet ouvrage a été achevé d'imprimer en janvier 2017
dans les ateliers de Normandie Roto Impression s.a.s.
61250 Lonrai
N° d'impression : 1700179
N° d'éditeur : 10232869

Imprimé en France